Manuela Georgiakaki
Michael Priesteroth

Deutsch für Kinder
Kursbuch

Deutsch als Fremdsprache

Hueber Verlag

Bildredaktion:
Manuela Georgiakaki

5. 4. 3. | Die letzten Ziffern
2024 23 22 21 20 | bezeichnen Zahl und Jahr des Druckes.
Alle Drucke dieser Auflage können, da unverändert,
nebeneinander benutzt werden.
1. Auflage
© 2019 Hueber Verlag GmbH & Co. KG, München, Deutschland
Umschlaggestaltung: Sieveking · Agentur für Kommunikation, München
Layout und Satz: Sieveking · Agentur für Kommunikation, München
Verlagsredaktion: Andrea Prammer, Silke Hilpert, Hueber Verlag, München
Druck und Bindung: Westermann Druck GmbH, Braunschweig
Printed in Germany
ISBN 978–3–19–101061–4

Art. 530_25415_001_03

1. Gliederung in 8 Module

Modulanfang

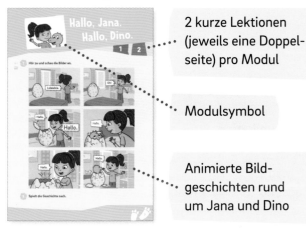

2 kurze Lektionen (jeweils eine Doppelseite) pro Modul

Modulsymbol

Animierte Bildgeschichten rund um Jana und Dino

Modulende

Projekte, die das Gelernte noch einmal zusammenführen

2. Der Anhang

Feste und Feiertage

Bastelvorlage zum Ausschneiden

Alphabetische Wortliste zum Nachschlagen

Beschreibungen zu den Methoden

3. Piktogramme und Symbole

1▸29   Aufgabe mit Hörtext

       Animierte Bildgeschichte

▸AB   Verweis ins Arbeitsbuch

Inhalt

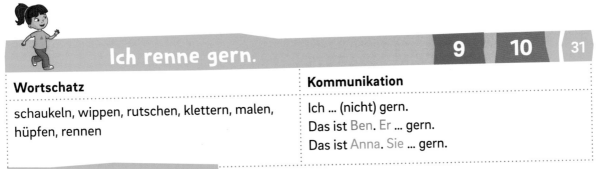

Ich renne gern. | 9 | 10 | 31

Wortschatz	**Kommunikation**
schaukeln, wippen, rutschen, klettern, malen, hüpfen, rennen	Ich ... (nicht) gern. Das ist Ben. Er ... gern. Das ist Anna. Sie ... gern.

Projekt: „Ich bin ich"-Bild malen

Das ist meine Mutter. | 11 | 12 | 37

Wortschatz	**Kommunikation**
Oma, Opa, Mutter, Vater, Schwester, Bruder	Wer ist das? – Das ist mein / meine ... Wie heißt dein / deine ...? Mein / Meine ... heißt ...

Projekt: Familie vorstellen

Robbe, Papagei und Känguru | 13 | 14 | 43

Wortschatz	**Kommunikation**
der Affe, der Papagei, der Bär, der Flamingo, das Zebra, das Känguru, die Robbe, die Schildkröte singen, klatschen, braun, rosa, schwarz	Was macht ...? – Der / Das / Die ... singt / ... Der / Das / Die ... ist ... Richtig! / Falsch!

Projekt: Würfelspiel

Mein Kopf tut weh. | 15 | 16 | 49

Wortschatz	**Kommunikation**
Kopf, Mund, Nase Auge – Augen, Finger – Finger, Arm – Arme, Ohr – Ohren, Bein – Beine, Hand – Hände	Was tut dir weh? – Mein / Meine ... tut weh. Wo ist ...? – Hier ist ... Das sind meine / deine ...

Projekt: Körper-Plakate basteln

Anhang

Ich bin:

....

....

1 Hör zu und schau die Bilder an.

2 Spielt die Geschichte nach.

1▸2 **1**   **Hör zu und schau die Bilder an.**

1▸3 **2**   **Wer spricht? Hör zu und zeig in 1.**

1▸4 **3**   **Wer spricht miteinander? Hör zu und verbinde.**

1▸5 **4**   **Hör noch einmal und sprich nach.**

5 Stellt euch vor.

6 Malt Figuren und gebt ihnen Namen. Was sagen sie? Sprecht.

1▶6 **1** Welches Bild passt? Hör zu und mal: ◕○○ / ◕◕○ / ◕◕◕ .

1▶7 **2** Hör zu, sprich nach und zeig mit.

3 Hör zu.

Guten Morgen.
Guten Morgen.
Wer bist du?
Wer bist du?

Ich bin Jana.
Ich bin Jana.
Hallo. Hallo.
Hallo. Hallo.

Guten Morgen.

Wer bist du?

Ich bin Jana.

4 Hör noch einmal, sing und mach mit.

5 Singt das Lied in zwei Gruppen.

6 Spielt Dinoflüstern.

Guten Morgen, Paul.

Tschüss, Paul.

7 Spielt und sprecht.

Guten Morgen.
Wer bist du?

Ich bin Tom.

Tschüss, Tom.

1 **Bastelt Stabfiguren von Jana und Dino.** (▶ Bastelvorlage auf S. 59)

2 **Spielt Theater.**

Rot, gelb, grün

1   **Hör zu und zeig mit.**

2   **Hör zu, sprich nach und zeig in 1 mit.**

3   **Spielt Dinoklatsche.**

Gelb.

1▶12 **1** Hör zu und sprich mit. Ergänze die fehlenden Farben.

2 Spielt und sprecht.

3 Macht ein Farbendiktat.

4 Sprecht nach.

5 Sucht Farben im Klassenzimmer und sprecht. Das ist ...

6 Spielt Dinomemo.

AB

15

1▸13 **1** **Hör zu und schau die Bilder an.**

1▸13 **2** **Was mag Dino? Hör noch einmal und kreuze an.**

1▸14 **3** **Hör zu und sprich nach.**

4 Hör zu und schau das Bild an.

5 Wie ist dein T-Shirt? Sprich.

6 Hör zu und schau die Bilder an.

7 Hör zu und sprich nach.

8 Spielt zu zweit den Dialog nach.

1▶18 **1** **Hör zu und zeig mit.**

Rot, gelb, grün und blau.
Weiß, orange, lila.

Ich mag Rot.
Ich mag Rot.
Und ich mag Lila.

1▶18 **2** **Hör noch einmal und sing mit.**

3 **Wähl eine Farbe: Rot, Gelb, Grün oder Blau. Mal ein T-Shirt und schneide es dann aus.**

1▶19 **4** **Singt das Farbenlied aus 1 in Gruppen. Jede Gruppe singt das Lied mit dem T-Shirt in ihrer Farbe.**

Ich mag Eis.

1 Hör zu und schau die Bilder an.

Das ist Salat.

Und? Magst du Salat?

Mmmmm! Ja. Ich mag Salat. Und du?

Ich nicht.

Und das ist Eis. Ich mag Eis.

Magst du Eis?

Ieee! Nein.

Ich mag Schokolade. Und du?

Schokolade! Ieee.

Das ist Pizza. Ich mag Pizza. Und du?

Ich auch.

2 Was mag Jana? Was mag Dino? Hör noch einmal und verbinde.

1▸21 **1** **Hör zu und zeig mit.**

1▸22 **2** **Hör zu und sprich nach.**

1▸23 **3** **Hör zu und verbinde in 1.**

4 **Spielt Dinozaubern.**

Abrakadabra.
Das ist Eis.

Das ist Eis.

Abrakadabra.
Das ist Pizza.

1▸24 **5** **Hör zu und zeig mit.**

Ich mag Schokolade. La, la, la, la, la. La, la, la, la, la.
Magst du Schokolade? Ja, ja, ja, ja, ja.
Ich mag Eis und Pizza. ...
Magst du Eis und Pizza? ...
Ich mag Salat. ...
Magst du Salat? ...
Ich mag Brot und Kuchen. ...
Magst du Brot und Kuchen? ...

1▸25 **6** **Singt das Lied.**

7 Was passt? Hör zu und verbinde.

8 Hör zu und sprich nach.

9 Spielt in zwei Gruppen.

AB

1▸28 **1** **Hör zu und schau die Bilder an.**

1▸29 **2** **Hör zu, sprich nach und zeig in 1 mit.**

1▸30 **3** **Was liebt Dino? Was liebt Jana? Hör zu und verbinde.**

4 **Was liebt Dino? Was liebt Jana? Was sagen sie? Sprich.**

Ich liebe ...

6

5 Was ist das? Mal Lebensmittel aus den Formen.

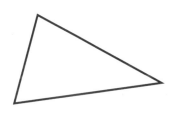
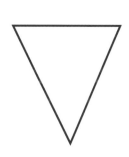
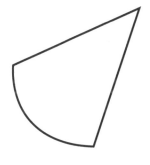

6 Spielt zu zweit mit den Bildern aus 5.

7 Was ist das? Rate. Das ist ...

1

2

3

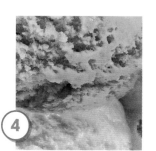
4

5

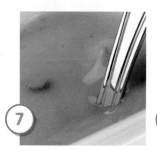
6

7

8

AB

1 **Bastle ein Minibuch mit deinen Lieblingslebensmitteln.**

1.

Falte ein
Din-A4-Blatt.

2.

Falte nun beide
Ränder zur Mitte
hin, sodass ein
„M" entsteht.

3.

Falte das Blatt
wieder auf. Falte
es dann noch
einmal in der
Mitte. Du siehst
nun acht Felder.

4.

Halte das Blatt
und schneide es
von unten bis zur
Hälfte ein.

5.

Stell dein
Blatt wie ein
Dach auf.

6.

Schieb es von
beiden Seiten
zusammen.

7.

Falte das Blatt
nun zu einem
Büchlein
zusammen.
Fertig ist dein
Minibuch.

8.

Mal nun deine
Lieblingslebens-
mittel auf die
Seiten.

2 **Sprecht zu zweit über euer Minibuch.**

> Ich liebe ...   Ich auch.

> Ich mag ...   Ich nicht.

Eins, zwei, drei

1 Hör zu und schau die Bilder an.

Guten Morgen.

Guten Morgen, Jana.

1, 2, 3, 4, 5, 6.
Oh, wie süß!

2 Wie viele Zähne hat Dino? Hör noch einmal und kreuze an.

3 Hör zu und zeig mit.

1 2 3 4 5 6

4 Hör zu, sprich nach und klatsche mit.

1, 2, 3, **4**, 5, 6.

1▶34 **1** Hör zu und schreib die Zahlen auf Karten mit.

2 Spielt Dinoklatsche mit den Karten aus 1.

3 Spielt „Zahlen fühlen".

4 Hör zu und schau die Bilder an.

5 Hör zu und sprich nach.

6 Spielt Dinotelefon.

AB

1▸37 **1** **Hör zu und schau die Bilder an.**

1▸38 **2** **Welches Bild passt? Hör zu und zeig in 1 mit.**

1▸39 **3** **Hör zu und sprich nach.**

4 Hör zu und nummeriere die Felder.

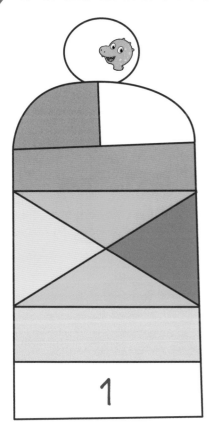

5 Welches Feld passt? Hör zu und zeig in **4** mit.

6 Hör zu und zeig mit.

1 **2** **9**

Eins, zwei, drei, vier, fünf, sechs
Sieben, acht, neun, zehn – sieben, acht, neun, zehn.
Ich bin dran. Du bist dran. Super, super – toll, toll, toll.
Eins, zwei, drei – vier, fünf, sechs – sieben, acht, neun, zehn.

8

3 **7** **4** **5** **6** **10**

7 Singt das Lied.

1 Spiel das „Zahlenspiel". Wie oft triffst du? Wirf und zähl.

2 Zähl deine Papierkugeln.

Ich renne gern.

1 Hör zu und schau die Bilder an.

Ich schaukle gern.

Ich auch.

Ich wippe gern.

Dino!

Ich auch.

Ich rutsche gern.

Ich nicht.

2 Was mag Dino? Hör noch einmal und kreuze an.

3 Hör zu und zeig in **1** mit.

2▸3 **1** Hör zu und zeig mit.

2▸4 **2** Hör zu, sprich nach und mach pantomimisch mit.

Ich klettere gern.

2▸5 **3** Wie ist die Reihenfolge? Hör zu und nummeriere.

Ich renne gern. Ich male gern.
Ich schaukle gern. Ich wippe gern.
Ich rutsche gern. Ich klettere gern.
Ich hüpfe gern. Ich hüpfe gern.

2▸5 **4** Hör noch einmal und zeig in 3 mit.

2▸6 **5** Singt das Lied.

6 Spielt Dinokette. Was machst du gern? Spiel Pantomime und sprich.

7 Hör zu und schau die Bilder an.

8 Spielt zu zweit mit den Bildern aus 3.

2▶8 **1** Hör zu und schau die Bilder an.

2▶9 **2** Hör zu und spiel Dinos Rolle.

2▶10 **3** Wie ist die Reihenfolge? Hör zu und nummeriere.

4 Kreise in 3 die Jungen blau ein und die Mädchen rot.

5   **Hör zu und zeig die richtige Karte.**

Das ist Ben. Er …

Das ist Sara. Sie …

6   **Hör zu, sprich nach und zeig mit.**

7   **Mal Dino in 6. Wo spielt er gern? Was glaubst du?**

8   **Zeig dein Bild und sprich.**   Das ist Dino. Er … gern.

9   **Spiel Pantomime. Die anderen raten.**

Das ist Anna. Sie malt gern.

▶ AB

1 Mal ein „Ich bin ich"-Bild. Mal auch deine Lieblingsfarbe, dein Lieblingsessen und deine Hobbys.

2 Präsentiere dein Bild.

Ich bin Maria. Ich mag Grün. Ich liebe Pizza. Ich male gern.

Das ist meine Mutter.

1 Hör zu und schau die Bilder an.

Das ist mein Opa.

Das ist meine Oma.

Und das bin ich.

2 Was sagt Jana? Hör zu und zeig mit.

3 Hör zu, sprich nach und zeig in 1 und 2 mit.

2▶16 **1** **Welche Farbe passt? Hör zu und verbinde.**

2▶16 **2** **Hör noch einmal und kontrolliere in 1.**

2▶17 **3** **Hör zu und zeig mit.**

Das ist meine Mutter und das ist mein Vater.
Und wer ist das?

Das ist meine Oma und das ist mein Opa.
Und wer ist das?

Das ist meine Schwester und das ist mein Bruder.
Und wer ist das?

2▶18  **Singt das Lied.**

5 Spielt Dinozaubern.

6 Spielt „Familien stellen".

7 Mal die Gesichter deiner Familie. Sprecht dann zu zweit.

▶ AB

2▶19 **1** **Hör zu und schau die Bilder an.**

2▶20 **2** **Hör zu und sprich nach.**

3 **Spielt die Geschichte nach.**

4 Hör zu.

1 und **2** und **3**
Meine Mutter heißt Danai.
Deine Mutter heißt Marlen.
Und du musst gehen.

5 Hör noch einmal und sprich mit.

6 Zählt wie in **4** ab. Wer als Letzter übrigbleibt, beginnt. Spielt dann Dinokette.

Wie heißt deine Mutter?

Meine Mutter heißt ...

7 Wie ist die Reihenfolge? Hör zu und nummeriere.

8 Hör zu, sprich nach und zeig in **7** mit.

9 Spielt den Dialog aus **7** zwischen Dino und Jana nach.

Wie heißt dein / deine ...?

Mein / Meine ... heißt ...

AB

1 **Wähl Personen für deine Familie und gib ihnen Namen.**

2 **Stell deine Familie vor. Zeig auf die Personen in 1.**

Das ist mein Vater.

Er heißt ...

Wie heißt dein Vater?

Robbe, Papagei und Känguru

 1 Hör zu und schau die Bilder an.

 2 Hör noch einmal und mach pantomimisch mit.

2▸26 **1** Hör zu und kreise die Tiere blau, rot oder grün ein.

2▸27 **2** Hör zu, sprich nach und zeig in 1 mit.

3 Spielt Dinomalen.

Das Känguru.

Ja.

2▸28 **4** Wie ist die Reihenfolge? Hör zu und nummeriere.

2▸29 **5** Hör zu und sprich nach.

6 Was machen die Tiere? Hör zu und zeig mit.

7 Hör zu und schau das Bild an.

8 Spielt Dinokette. Sprecht wie in 7.

2▶32 **1** Hör zu und schau die Bilder an.

2▶32 **2** Welche Farbe passt? Hör noch einmal und verbinde.

2▶33 **3** Hör zu und sprich nach.

 **4** **Hör zu und zeig mit.**

Der, der, der – Das ist Bruno, der Bär.
Der Bär ist braun, der Bär ist braun. Der Bär ist braun, der Bär ist braun.
Der, der, der – Das ist Bruno, der Bär.

Das, das, das – Das ist Zotti, das Zebra.
Das Zebra ist schwarz und weiß. Das Zebra ist schwarz und weiß.
Das, das, das – Das ist Zotti, das Zebra.

Der, der, der – Das ist Finn, der Flamingo.
Der Flamingo ist rosa. Der Flamingo ist rosa.
Der, der, der – Das ist Finn, der Flamingo.

 **5** **Singt das Lied.**

6 **Spielt Dinoblablabla.**

7 **Spielt Dinotelefon.**

1 **Würfelt und sprecht.**

Mein Kopf tut weh.

1 Hör zu und schau die Bilder an.

2 Was tut Dino weh? Hör noch einmal und kreise ein.

49

2▸37 **1** **Hör zu und zeig mit.**

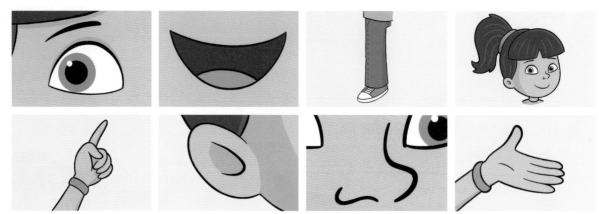

2▸38 **2** **Hör zu, sprich nach und zeig an dir selbst mit.**

3 **Spielt „Simon sagt".**

2▸39 **4** **Hör zu und schau die Bilder an.**

5 **Spielt die Geschichte nach.**

6   **Spielt und sprecht wie in 4.**

6   Was tut dir weh?

7   **Hör zu.**

Wo ist mein Mund? Wo ist mein Mund?
Hier ist dein Mund.
Alle zeigen hier – hier – hier.

Wo ist meine Nase? Wo ist meine Nase?
Hier ist deine Nase.
Alle zeigen hier – hier – hier.
…

41 **8**   **Singt das Lied und macht pantomimisch mit.**

9   **Spielt und sprecht.**

Wo ist mein Auge?

Hier ist dein Auge.

▶ AB

2▸42 1 Hör zu und schau die Bilder an.

2▸43 2 Welches Bild passt? Hör zu und zeig in 1 mit.

2▸44 3 Hör zu und zeig mit.

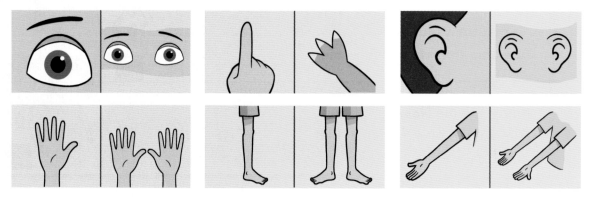

2▸45 4 Hör zu, sprich nach und klatsche mit.

5 Spielt das „Luftballonspiel".

46 **6** Hör zu.

Hallo – Das ist meine Hand.
Eins und zwei – Das sind deine Hände.
Hallo – Das ist mein Bein.
Eins und zwei – Das sind deine Beine.
Hallo – Das ist mein Finger.
1, 2, 3, 4, 5, 6, 7, 8, 9, 10 – Das sind deine Finger.

46 **7** Hör noch einmal, sprich und mach mit.

8 Spielt Dinozaubern.

Was ist das?

Abrakadabra.

Das sind deine Augen.

9 Mal das Bild von dir im Spiegel fertig. Sprich.

Das sind meine Arme.
Das sind meine Augen.

▶ AB

1 **Macht Körper-Plakate.**

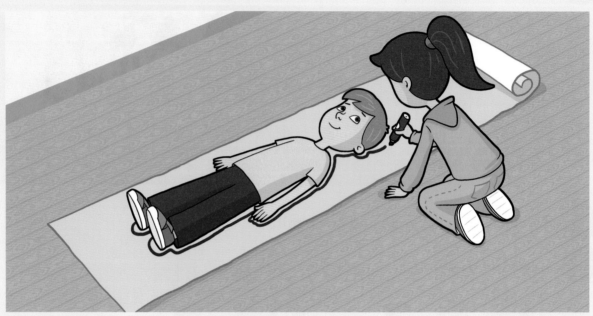

2 **Sprecht zusammen über eure Plakate.**

Das sind meine Augen. | Wo ist deine Nase? | Hier ...

3 **Was tut dir weh? Bastelt und sprecht.**

1 Hör zu und zeig mit.

| der Polizist | der Pirat | der Clown | die Hexe | der Cowboy |

2 Bastle eine Clownsmaske.

Du brauchst einen Pappteller, Tonpapier, Stifte, einen Luftballon, eine Schere, Kleber und einen Gummi.

1. Schneide den Pappteller wie auf dem Foto zurecht.

2. Schneide aus dem Tonpapier einen Hut aus.

3. Mal Mund, Augen und Haare auf den Pappteller.

4. Blas den Luftballon auf und kleb den Luftballon und den Hut auf den Teller.

5. Stich zwei kleine Löcher durch den Teller und fädle den Gummi ein.

6. Fertig ist die Clownsmaske.

3 Macht einen Umzug durch die Klasse.

Ostern

1   **Hör zu.**

Ich wünsch mir was

Ich wünsch mir was,
ich wünsch mir was,
du lieber guter Osterhas',
ein großes Ei aus Schokolade,
wie ich es noch nie gesehen habe.

2   **Hör noch einmal und sprich mit.**

3   **Mach ein Osterbild mit Fingerabdruckhasen.**

Du brauchst Papier, Stifte und einen Malkasten.

1.
Färbe deine Fingerkuppe.

2.
Bringe deinen Fingerabdruck auf ein Blatt Papier.

3.
Mal Ohren, Augen, Nase und Mund wie auf dem Foto.

4.
Fertig ist das Osterbild.

4   **Lern das Gedicht auswendig.**

5   **Präsentiere dein Osterbild und sag das Gedicht auf.**

1 Bastle einen Nikolaus.

Du brauchst eine rote Serviette, eine leere Rolle Toilettenpapier, schwarzes und weißes Tonpapier, Filzstifte, eine Schere und Kleber.

1.

Kleb die Serviette um die Rolle.

2.

Mal den Nikolauskopf ab und mal ihn dann aus. Schneide den fertigen Kopf aus.

3.

Kleb den Kopf auf die Rolle.

4.

Kleb die Rolle auf das schwarze Tonpapier und zeichne Füße auf. Schneide die Form aus.

5.

Zeichne Hände und Bischofsstab auf dem weißen Papier. Mal den Bischofsstab an. Schneide dann aus.

6.

Kleb die Hände an die Figur.

7.

Fertig ist der Nikolaus.

2 Nimm deinen Nikolaus mit nach Hause und fülle ihn dort mit einer Kleinigkeit.

3 Verschenke den gefüllten Nikolaus am 6. Dezember.

Weihnachtszeit

2▸49 **4** **Hör zu.**

O Tannenbaum, o Tannenbaum,
wie grün sind deine Blätter!
Du grünst nicht nur zur Sommerszeit,
nein, auch im Winter, wenn es schneit.
O Tannenbaum, o Tannenbaum,
wie grün sind deine Blätter!

O Tannenbaum, o Tannenbaum,
du kannst mir sehr gefallen.
Wie oft hat nicht zur Weihnachtszeit
ein Baum von dir mich hoch erfreut!
O Tannenbaum, o Tannenbaum,
du kannst mir sehr gefallen.

2▸50 **5** **Singt das Lied.**

6 **Mal das Bild fertig.**

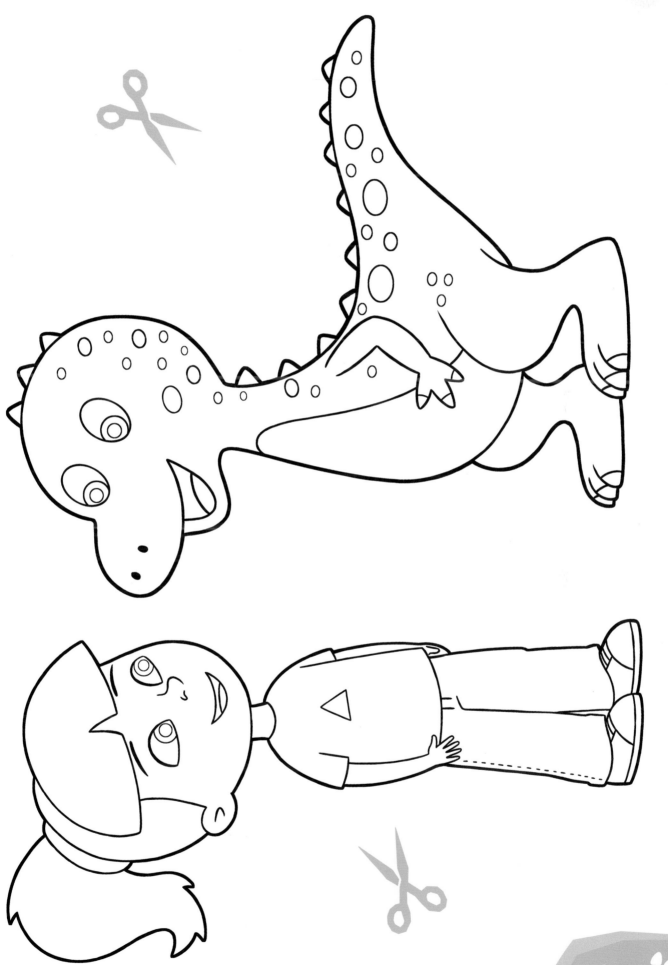

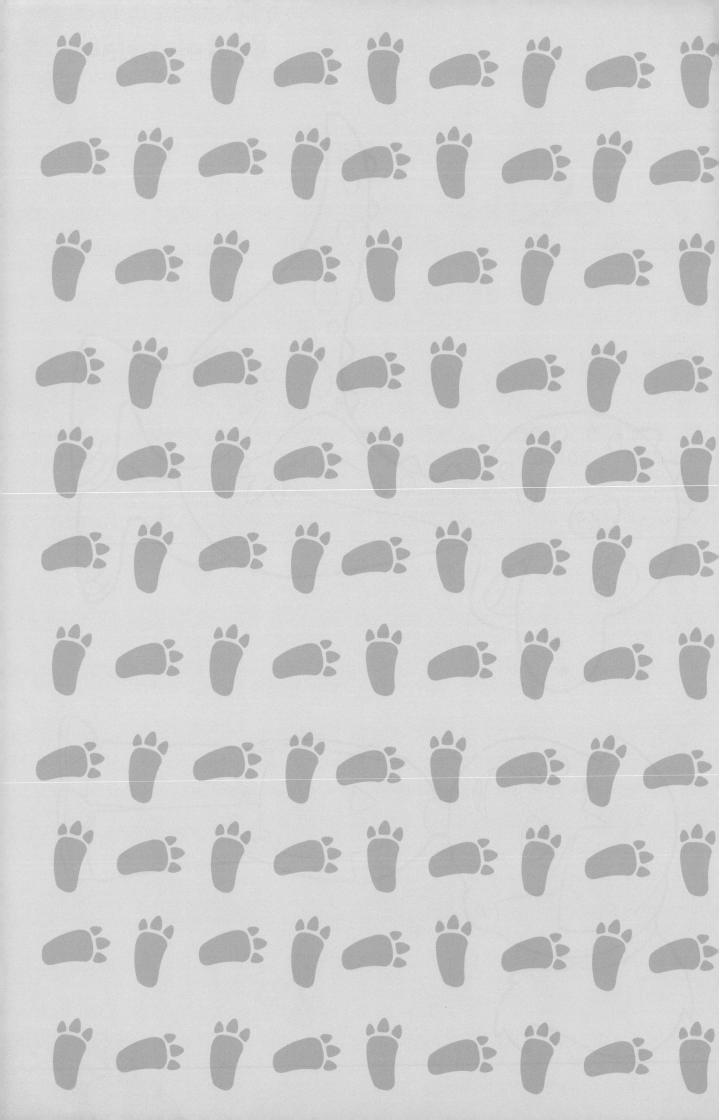

A

ach[1] 8 1
acht 8 6
Affe[2], -n, der 13 6
alle 15 7
Arm, -e, der 15 Einstieg, 1
aua 15 Einstieg, 1
auch 5 Einstieg, 1
Auge, -n, das 15 9

B

Bär, -en, der 14 1
Bein, -e, das 15 Einstieg, 1
blau 3 2
braun 14 1
Brot, -e, das 5 5
Bruder, ⁝, der 11 3

D

das 3 4
dein/e 12 1
doch 16 1
dran sein 7 4
drei 8 1
du 1 1

E

eins 8 1
Eis (Sg.), das 5 Einstieg, 1
er 10 1

F

falsch 14 1
Finger, -, der 16 1
Flamingo, -s, der 14 1
Foto, -s, das 14 1
fünf 7 3

G

gelb 3 Einstieg, 3
gern 9 Einstieg, 1
Gewonnen! 7 4
grau 4 6
grün 3 4
gut 16 1
Guten Morgen 2 3

H

Hallo 1 Einstieg, 1
Hand, ⁝e, die 16 5

heißen 12 1
hier 15 Einstieg, 1
hüpfen 9 3

I

ich 1 1

J

ja 4 6
Joghurt, -s, der / das 6 1

K

Känguru, -s, das 13 Einstieg, 1
Käse, -, der 6 1
klar 14 1
klatschen 13 Einstieg, 1
klettern 9 2
Kopf, ⁝e, der 15 Einstieg, 1
Kuchen, -, der 5 5

L

lieben 6 1
lila 3 6

M

machen 13 7
mal 13 Einstieg, 1
malen 9 3
mein/e 11 Einstieg, 1
mögen 4 1
Mund, ⁝er, der 15 7
Mutter, ⁝, die 11 3

N

Nase, -n, die 15 3
nein 4 1
neun 8 1
nicht 5 Einstieg, 1
noch 15 4

O

Ohr, -en, das 15 1
oje 13 Einstieg, 1
Oma, -s, die 11 Einstieg, 1
Opa, -s, der 11 Einstieg, 1
orange 4 1

P

Papagei, -en, der 13 Einstieg, 1
Pizza, -s, die 5 Einstieg, 1

R

rennen 9 3
richtig 14 1
Robbe, -n, die 13 Einstieg, 1
rosa 14 1
rot 3 3
rutschen 9 Einstieg, 1

S

Salat, -e, der 5 Einstieg, 1
schauen 13 Einstieg, 1
schaukeln 9 Einstieg, 1
Schildkröte, -n, die 13 6
Schokolade, -en, die 5 Einstieg, 1
schwarz 14 1
Schwester, -n, die 11 3
sechs 8 6
sein 1 1
sie 10 1
sieben 8 6
singen 13 Einstieg, 1
Spinne, -n, die 6 1
super 8 1
süß 7 Einstieg, 1

T

toll 8 1
tschüss 2 6

U

und 1 1

V

Vater, ⁝, der 11 3
vier 8 6

W

was 6 1
wehtun 15 4
weiß 4 4
wer 1 1
wie 12 1
wippen 9 Einstieg, 1
wo 15 Einstieg, 1

Z

Zebra, -s, das 13 6
zehn 8 1
zeigen 15 7
zwei 8 1

---

1 *Kursiv* gedruckt sind Wörter, die nicht zum Lernwortschatz von Jana und Dino gehören.
2 Beispiel: Affe, -n, der 13 3 → Das Wort Affe kommt erstmals in Lektion 13, Aufgabe 3 vor.

Folgende Spiele kommen so im Kursbuch vor. Sie können in fast allen Modulen eingesetzt werden, um neuen Wortschatz und neue Redemittel zu festigen.

Dinoklatsche   Moduleinstieg Rot, gelb, grün, 3   Lektion 7, 2

Materialien:	6 – 8 Bildkarten (ideal DIN-A6); 2 Fliegenklatschen; falls nicht vorhanden, eignen sich auch lange Lineale aus strapazierfähigem Material
Spieler:	2

Ablauf:

1. Die Bildkarten werden offen auf den Fußboden gelegt.
2. Zwei Kinder erhalten je eine Fliegenklatsche und setzen sich um die Bildkarten herum, so dass sie alle Karten mit ihren Fliegenklatschen gut erreichen können.
3. Die Lehrkraft nennt einen der abgebildeten Begriffe. Die Kinder versuchen, so schnell wie möglich mit der Fliegenklatsche auf die entsprechende Karte zu schlagen. Wer als erster auf die richtige Karte schlägt, gewinnt sie und kann sie aus dem Spiel nehmen.
4. Das Spiel ist zu Ende, wenn alle Begriffe genannt und die Karten weggenommen wurden. Sieger ist das Kind mit den meisten Karten.

Dinomemo   Lektion 3, 6

Variante 1

Materialien:	1 Kartenset aus 10 – 16 Bildkarten (ideal DIN-A7); je zwei Karten sind gleich
Spieler:	12 – 18

Ablauf:

1. Eine Schülergruppe mit so vielen Kindern wie Karten stellt sich im Raum auf, am besten in mehreren Reihen hintereinander, z. B. 2 x 5, 3 x 4 oder 4 x 4. Sollte der Platz für so eine große Schülergruppe im Klassenraum nicht ausreichen, können sich die Kinder auch ungeordnet im Klassenraum aufstellen.
2. Zwei Kinder werden zu Spielern ernannt und gehen vor die Tür oder drehen der stehenden Schülergruppe den Rücken zu, während Schritt 3 durchgeführt wird.
3. Jedes Kind der Schülergruppe wird zur „lebenden Karte". Es erhält eine Karte, schaut sie sich an, merkt sich den abgebildeten Begriff und hält die Karte dann verdeckt.
4. Die beiden Spieler spielen abwechselnd. Sie tippen je zwei „Karten" an. Diese nennen den Begriff, der auf ihrer Karte abgebildet ist. Wenn ein Spieler ein Paar gefunden hat, muss er dieses im Satz benennen, z. B. *Das ist lila und das ist lila*. Die beiden „Karten" können sich dann setzen und der Spieler darf weiterspielen. Tippt der Spieler jedoch zwei „Karten" an, die kein Paar bilden, ist sein Gegenspieler an der Reihe.

Variante 2

Materialien:	Kartenset für jedes Schülerpaar bestehend aus 10 – 16 Bildkarten (ideal DIN-A7); je zwei Karten sind gleich
Spieler:	2

Ablauf:

1. Die beiden Kinder legen ihr Kartenset mit dem Bild nach unten auf dem Tisch aus.
2. Sie spielen abwechselnd. Sie drehen je zwei Karten um und nennen die Begriffe, die auf den Karten abgebildet sind. Wenn ein Kind ein Paar gefunden hat, kann es die Karten aus dem Spiel nehmen und behalten. Außerdem darf es dann weiterspielen. Dreht das Kind jedoch zwei Karten um, die kein Paar bilden, muss es die Karte wieder richtig zurücklegen und sein Gegenspieler ist an der Reihe.
3. Das Spiel ist zu Ende, wenn alle Karten aus dem Spiel genommen wurden. Sieger ist das Kind mit den meisten Karten.

Dinomalen Lektion 13, 3

Materialien:	Tafel, Stifte
Spieler:	alle

Ablauf:

Ein Kind malt an der Tafel einen Gegenstand / ein Lebewesen aus dem zu übenden Wortfeld. Während es noch malt, versuchen die anderen zu raten, worum es sich handelt. Wer es als erster errät, darf als nächster an die Tafel kommen.

Dinokette Lektion 9, 6   **Lektion 12, 6**   Lektion 13, 8

Variante 1

Materialien:	-
Spieler:	alle

Ablauf:

1. Die Kinder und die Lehrkraft stellen / setzen sich in einen Kreis oder in eine Reihe bzw. legen eine Reihenfolge fest.
2. Die Lehrkraft beginnt das Spiel und gibt die zu verwendende Struktur vor, indem sie sich an ihren Nachbarn wendet. Sie sagt etwas bzw. stellt eine Frage, auf die das Kind reagieren soll.
3. Dann wendet sich das Kind an das nächste und gibt einen ähnlichen Satz bzw. eine ähnliche Frage weiter.

Variante 2

Materialien:	ein Softball oder ein zu einer Kugel zusammengeknülltes Blatt
Spieler:	alle

Ablauf:

Wie Variante 1. Die Kinder werfen sich hier allerdings einen Ball zu, um die Reihenfolge zu bestimmen.

Quellenverzeichnis